위대한 탐정 네이트
사라진 깡통을 찾아서

SEOUL, 2000

위대한 탐정 네이트
사라진 깡통을 찾아서

초판 제1쇄 발행일 2000년 3월 20일
초판 제65쇄 발행일 2020년 3월 25일
글 마저리 와인먼 샤매트 그림 마르크 시몽 옮김 지혜연
발행인 윤호권 발행처 (주)시공사
주소 서울시 서초구 사임당로 82
전화 영업 2046-2800 편집 2046-2821~4
인터넷 홈페이지 www.sigongjunior.com

NATE THE GREAT AND THE FISHY PRIZE
Text Copyright ⓒ 1985 by Marjorie Weinman Sharmat
Illustration Copyright ⓒ 1985 by Marc Simont
All rights reserved.
Korean translation copyright ⓒ 1998 by Sigongsa Co., Ltd.
This Korean edition was published by arrangement with M.B. & M.E.
Sharmat Trust. and Marc Simont c/o Harold Ober Associates Inc., New York
through Eric Yang Agency, Seoul.

이 책의 한국어판 저작권은 Eric Yang Agency를 통해
Harold Ober Associates Inc.와 독점 계약한 (주)시공사에 있습니다. 저작권법에 의해
한국 내에서 보호받는 저작물이므로 무단 전재와 무단 복제를 금합니다.

ISBN 978-89-527-8678-4 74840
ISBN 978-89-527-5579-7 (세트)

*시공주니어 홈페이지 회원으로 가입하시면 다양한 혜택이 주어집니다.
*잘못 만들어진 책은 구입하신 서점에서 바꾸어 드립니다.

KC마크는 이 제품이 공통안전기준에 적합하였음을 의미합니다.
제조국 : 대한민국 사용 연령 : 8세 이상
책장에 손이 베이지 않게, 모서리에 다치지 않게 주의하세요.

위대한 탐정 네이트
사라진 깡통을 찾아서

마저리 와인먼 샤매트 글 · 마르크 시몽 그림 · 지혜연 옮김

시공주니어

위대한 탐정 네이트
사라진 깡통을 찾아서

이야기의 영감을 준 우리 아버지
네이든 '네이트' 와인먼에게
당신은 그 어느 면에서나 위대한 탐정 네이트였다

난 위대한 탐정 네이트,
중요한 사건을 맡아 해결한다.
대단히 중요한 일이다.

난 오늘 아침에도
대단히 중요한 일을 하고 있었다.
슈퍼마켓에서
내가 기르는 질퍽이가 쓸
강아지용 샴푸를 사고 있었다.
질퍽이는 오늘 공원에서 열릴,
우리 마을에서 가장 영리한 애완 동물을 뽑는
대회에 나갈 예정이었다.
난 위대한 탐정 네이트,
질퍽이가
가장 영리하다는 것쯤은 이미 알고 있었다.
하지만 또한 가장 지저분하다는 것도 알고 있었다.

난 질퍽이가 말끔하게 하고 나가 우승하기를 바랐다.

난 강아지용 샴푸와

밀가루, 달걀, 버터, 우유,

소금, 설탕, 그리고 베이킹 파우더를 샀다.

팬케이크를 만들 작정이었으니까.

난 팬케이크를 무척 좋아한다.

얼마나 물건을 많이 샀는지

장바구니가 불룩 터져 나갈 지경이었다.

나는 장바구니를

자전거 뒷자리에 싣고

집으로 향했다.

오는 길에 로자몬드네 집 앞을 지나게 되었다.

로자몬드네 집에서

이상한 소리가 들려왔다.

무슨 일인지 궁금했다.

하지만 난 똑바로 앞만 보며

한눈을 팔지 않았다.

로자몬드네 집에서 들려오는 소리라면

이상한 게 당연했으니까.

로자몬드는 워낙 별난 아이였다.

집으로 돌아오니

질퍽이 녀석이 나를 기다리고 있었다.

내가 들어서며 말했다.

"샴푸 사 왔어."

질퍽이는 별로 달가워하는 눈치가 아니었다.

질퍽이 녀석은 목욕하는 걸 그다지 좋아하지 않았다.

나는 장바구니를 바닥에 내려놓았다.

물건을 꺼내 정리하기도 전에 전화벨이 울렸다.

로자몬드가 나를 찾는 전화였다.

로자몬드가 말했다.

"내가 가장 영리한 애완 동물을 뽑는 대회에서
수여할 상을 만드는 일을 맡았어."

내가 시큰둥하게 말했다.

"나도 알아."

난 위대한 탐정 네이트,

어떤 상이 주어질지 미리 알고 싶지 않았다.

로자몬드가 말했다.

"그런데 말이야, 상을 만들기는 했는데
그만 없어져 버렸어."

난 할 수 없이 상에 대해 물었다.

"상이 뭐였는데?"

로자몬드가 설명을 했다.

"다 먹은 빈 참치 깡통에다 금색 페인트로

가장 영리한 친구

라고 또박또박 큼지막하게 쓴 거야.

누구라도 받고 싶어 안달할 만한 근사한 상이

없어져 버렸으니, 어떻게 하면 좋지?"

내가 제안을 했다.

"다른 상을 만들면 되잖아."

로자몬드가 말했다.

"그러기엔 너무 늦었어.

한 시간만 있으면 대회가 시작되거든.

그러니까 네가 참치 깡통 좀 찾아주지 않을래?"

"나도 질퍽이를 준비시켜 대회에 내보내야 해."

로자몬드가 다시 말했다.

"하지만 네가 상을 찾지 못하면
대회고 뭐고 다 취소되는 거야."

나는 질퍽이를 바라보았다.

질퍽이는 정말 영리해 보였다.

무슨 일이 있어도

대회는 열려야 했다.

내가 말했다.

"난 위대한 탐정 네이트,
사건을 맡는다.

질퍽이와 함께

지금 곧 너희 집으로 갈게."

난 그렇게 말하고 전화를 끊었다.

그리고 질퍽이에게 말했다.

"참치 깡통을 찾는 일이 급해서,
목욕시킬 시간이 없겠다."

15

질펵이는 차라리 잘됐다고
생각하는 모양이었다.
나는 급하게 엄마에게 쪽지를 남겼다.
질펵이와 난 서둘러 로자몬드네 집으로 갔다.
인사를 나눌 시간적 여유도 없었다.

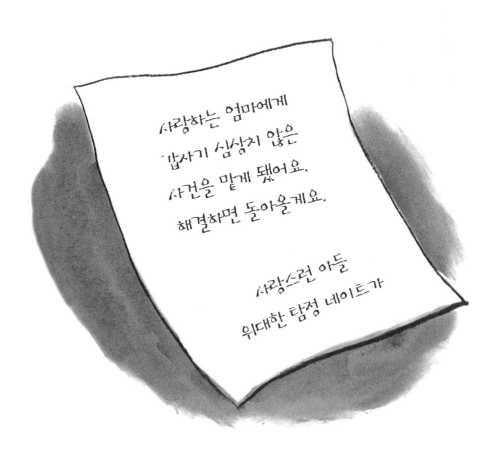

사랑하는 엄마에게
갑자기 심상치 않은
사건을 맡게 됐어요.
해결하면 돌아올게요.

사랑스런 아들
위대한 탐정 네이트가

내가 말했다.

"상이 있었던 곳을 보여 줘."

로자몬드는 우리를 자기 방으로 데려갔다.

뭔가 냄새가 심상치 않았다.

물건들이 여기저기 흩어져 있었다.

거꾸로 뒤집혀져 있는 물건들도 있었다.

바닥은 정신 없이 어질러져 있었다.

그야말로 엉망진창이었다.

내가 물었다.

"도대체 무슨 일이 있었니?"

로자몬드가 설명을 해 주었다.

"모두들 대회 참가 신청을 하려고

애완 동물을 데리고 왔었어.

애니는 송곳니를 데리고 왔고,

핍은 앵무새를 데리고 왔었어.

핀리는 쥐를,

그리고 올리버는 뱀장어를 데리고 왔었지.

클로드는 돼지와 같이 왔었어.

에스메랄다만 혼자 왔단다.

애완 동물을 기르지 않기 때문에

심사위원을 맡기로 되어 있었거든.

그런데 느닷없이

송곳니가 클로드의 돼지를 쫓기 시작한 거야.

그러니까 돼지는 우리 고양이들을 쫓고,

우리 고양이들은 쥐를 쫓는다고 난리였지.

그런 와중에 핍의 앵무새까지 흥분해서
이리저리 날아다녔어.
올리버의 뱀장어까지 요동을 치더라고.
멍멍멍, 찍찍찍, 꿀꿀꿀
온갖 울음소리가 정말 대단했단다.
그러면서 내 방을 이렇게 엉망으로 만들어 버린 거야."
"난 위대한 탐정 네이트,
아까 자전거를 타고 너희 집 앞을 지나다
이상한 소리를 들었는데, 그래서 그랬구나.

그런데 이런 소동이 벌어지고 있을 때
참치 깡통은 어디에 있었니?"
로자몬드가 대답했다.
"난 창문을 열고
창턱에 깡통을 올려놓았어.
금색 페인트가
바람에 잘 마르게 말이야."
내가 다시 물었다.
"그럼 언제 깡통이 없어진 걸 알았니?"
"방이 엉망이 되고 난 후야.
아이들이 모두 돌아가고 나서
방을 치우기 시작하다가,
상이 없어진 걸 알았어.
방 안을 구석구석 찾아보긴 했는데 없더라."

내가 말했다.

"내가 다시 찾아볼게.

이 아수라장 어딘가에 틀림없이 있을 거야.

어느 녀석인가 툭 쳐서 깡통이 떨어진 거겠지.

그걸 영리하다는 녀석 중에 하나가

밀고, 당기고, 끌고 다니고 하다가

차버렸을 거야."

그 소리에 로자몬드가 말했다.

"우리 고양이들은 하나같이 정말 영리하단다.

네 마리가 모두 상을 탈 수 있을걸."

난 위대한 탐정 네이트,

'가장 이상한 동물을 뽑는 대회라면 그럴지도 모르지.'

라는 생각을 하며 방을 둘러보았다.

"그런데 이 방에서 깡통에 페인트칠을 했니?"

"아니."

"좋아, 그럼 먼저 금색 페인트가 묻어 있는 곳을
찾아봐야겠다.

그게 실마리가 될 수 있을 것 같애.

네가 이 방에서 페인트칠을 했다면

칠하다 묻힌 거니까 아무 도움이 안 되겠지만."

내 말에 로자몬드가 반박했다.

"난 칠하면서 묻히지 않았어."

난 위대한 탐정 네이트,

창가로 갔다.

금색 페인트가 묻어 있는 곳이

창의 안쪽인지 바깥쪽인지가 밝혀지면

깡통이 집 안으로 떨어진 것인지 밖으로 떨어진 건지

알아낼 수 있었다.

하지만 깡통은 전혀 흔적을 남기지 않았다.

질퍽이가 코를 킁킁대기 시작했다.

그렇다, 냄새!

나는 로자몬드에게 물었다.

"깡통을 상으로 꾸미기 전에 씻었니?"

로자몬드가 대답했다.

"씻었다고 볼 수 있지."

내가 물었다.

"씻으면 씻은 거지,

씻었다고 볼 수 있는 건 또 뭐야?"

로자몬드가 대답했다.

"우리 고양이가 핥았어. 참치를 너무 좋아하기 때문에

얼마나 깨끗하게 핥았는지 몰라."

내가 다시 물었다.

"하지만 고양이가 비누를 사용하지는 않았겠지?

그럼 깡통에선 여전히 참치 냄새가 나겠구나.

그게 실마리가 될 수 있겠다."

나는 질퍽이에게 돌아서서 말했다.

"생선 냄새다."

질퍽이와 나는 로자몬드의 방에서

깡통을 발견할 수 없었다.

내가 말했다.

"깡통은 이 방에 없어.

아마도 창 밖으로 떨어졌나 보다."

질퍽이와 난 밖으로 달려나갔다.

우리는 주위를 둘러보았다.

그 어디에서도 참치 깡통을 발견할 수는 없었다.

금색 페인트가 묻어 있는 곳도 눈에 띄지 않았다.

보이는 것은 사람들이 걸어다니는 길뿐이었다.

우리는 걸어다니며 여기저기를 살펴보았다.

어쩌면 깡통은 길거리에서

이리 밀리고, 저리 당기고,

이리 끌리고, 저리 차였을 터였다.

하지만 아무런 흔적도 발견할 수 없었다.

우리는 다시 집 안으로 들어갔다.

내가 로자몬드에게 말했다.

"아주 심상치 않은 사건이구나.

깡통이 창턱에 있었단 말이야.

그러면 집 안이나 집 밖으로

떨어졌어야 하는데 말이지.

안에도 없고 밖에도 없으니."

로자몬드가 말했다.

"아니면 누군가 맘먹고 훔쳐 갔을지도 몰라."

난 위대한 탐정 네이트,

그런 참치 깡통을 누가 일부러 훔치겠냐고

로자몬드에게 말해 주기는 곤란했다.

영리한 애완 동물 대회 사상 그런 형편없는 상은

없었을 거라고 솔직히 털어놓고 싶진 않았다.

내가 말했다.

"아까 방에 있었던 친구들을

만나 이야기를 들어봐야겠어.

어쩌면 참치 깡통과 관련해 뭐든

목격한 친구가 있을지도 몰라."

질퍽이와 난 클로드네 집으로 향했다.

클로드는 돼지와 함께 집에 있었다.

클로드는 깜빡깜빡

물건을 잃어버리는 일이 잦았다.

하지만 다행스럽게도 돼지는 아직 있었다.

돼지가 잔뜩 쌓여 있는 음식을 먹어 치우는 동안,

클로드는 돼지의 뻣뻣한 털을 빗으로 빗기고 있었다.

클로드가 말했다.

"아나스타샤를 대회에 내보낼 준비를 하고 있어."

아나스타샤가 꿀꿀거렸다.

나는 아나스타샤가 음식을 먹어대는 걸 지켜보았다.

음식은 놀랄 만한 속도로 줄어들고 있었다.

문득 이런 생각이 들었다.

'아마 참치 깡통은 완전히 사라진 것인지도 몰라.

혹시 누군가의 뱃속으로 들어갔다면……'

흔적도 없이 사라졌다면 먹어 치우는 방법뿐일 텐데.

난 위대한 탐정 네이트,

할 수 없이 이야기를 꺼냈다.

"돼지들은 정말 돼지처럼 먹어대는구나.

혹시 아나스타샤가 양철 깡통도 먹을 수 있을까?"

클로드가 대답했다.

"잘 모르겠어. 내가 키우는 놈이 아니거든.

대회에 내보내려고 농장에서 잠깐 빌린 거야.

난 자꾸만 이 녀석을 잃어버리는데

글쎄, 요 녀석이 날 찾아오곤 해.

얼마나 영리한지 몰라.

이번 상은 맡아 놓은 거나 다름없어."

내가 또 물었다.

"아나스타샤의 입을 한번 들여다봐도 되겠니?"

클로드가 대답했다.

"꼭 그러고 싶다면 마음대로 해."

난 위대한 탐정 네이트,

아나스타샤의 입 안을 들여다보기는 정말 싫었다.

하지만 난 해결해야 할 사건이 있었다.

꼭 해야 할 일이었다.

난 돼지의 입을 벌렸다가 재빨리 닫으며 말했다.

"아나스타샤는 참치 깡통을 삼키지 않았어."

클로드가 물었다.

"네가 그걸 어떻게 알아?"

"왜냐하면 깡통에 칠한 금색 페인트가

완전히 마른 상태가 아니었거든.

깡통을 삼켰다면 입 안이 온통 금색이었을 거야.

그건 그렇고, 혹시 깡통이

로자몬드의 방 창턱에 놓여 있는 것을 봤니?"

"본 것 같기도 하고 못 본 것 같기도 해."

내가 말했다.

"흥미로운 대답이구나.

위대한 탐정 네이트가 말하건대,

상당히 흥미로운 대답이야."

클로드가 대답했다.

"맞아, 동물들이

아수라장을 벌이기 직전까지는 봤어.

그런데 진정이 된 후엔 더 이상 눈에 띄지 않더라."

내가 말했다.

"그건 내가 이미 알고 있는 사실이야.

난 동물들이 이리저리 날뛰는 동안

깡통이 사라졌다는 것을 이미 알고 있어.

난 위대한 탐정 네이트,

새로운 실마리가 필요해.

그것도 한시가 급하게."

질퍽이와 난 클로드네 집을 나왔다.

아나스타샤를 본 것이 후회스러웠다.

아나스타샤를 보니 배가 더 고파졌다.

집으로 돌아가 아까 슈퍼마켓에서 산 재료로

팬케이크를 만들어 먹을 시간이 있었으면 싶었다.

하지만 사 가지고 온 물건을 풀어 놓을 시간도 없었다.

하긴 로자몬드 방에 있던 아이들을

일일이 만나볼 시간조차 없었다.

애니, 올리버, 핍,
핀리와 에스메랄다가 남았다.
난 에스메랄다네 집에 가 보기로 했다.
이유는 두 가지였다.
에스메랄다가 가장 똑똑했고,
또한 애완 동물을 기르지 않기 때문이다.
어쩌면 다른 아이들이
애완 동물들과 씨름하는 동안,
뭔가 봤을지도 모를 일이었다.
에스메랄다는 자기 집 계단에
조용히 앉아 있었다.
씻기거나, 손질을 하거나, 먹이를 주거나,
자랑하려고 법석을 떨 필요가 없기 때문이다.

내가 말했다.

"난 로자몬드네 창턱에 놓여 있던
참치 깡통을 찾고 있어.
혹시 깡통을 봤니?"

에스메랄다가 대답했다.

"응, 봤어.
애들이 난리를 치기 전까지 거기 있었는데.
참, 송곳니가 깡통 바로 아래에 서 있었어."

나는 되물었다.

"송곳니라고?

송곳니가 어느 쪽을 바라보고 있었는지 말해 봐."

에스메랄다가 말했다.

"오른쪽을 유리창 쪽으로 대고 있었어.

송곳니를 드러내고는

꼬리를 이리저리 휘두르더라."

난 위대한 탐정 네이트,

이것이 새로운 실마리란 생각이 뇌리를 스쳤다.

하지만 이 실마리가 무엇을 뜻하는 걸까?

갑자기 대단히 중요한 단서라는 생각이 들었다.

질퍽이와 난

서둘러 애니네 집으로 갔다.

애니는 송곳니를 씻기고 있었다.

목욕통 속의 송곳니는 온통 비누 거품 투성이라

보이는 것은 그야말로 무시무시한 송곳니뿐이었다.

애니가 말했다.

"송곳니를 대회에 내보내려고 준비 중이야.

다들 송곳니가 잘생겼다는 것은 알고 있겠지만,

이번 기회에 영리하다는 것도 알게 되겠지."

난 위대한 탐정 네이트,

송곳니에 대해서는 더 이상 알고 싶지 않았다.

애니는 송곳니의 꼬리를 박박 문질러 닦기 시작했다.

내가 소리쳤다.

"멈춰! 송곳니 몸에 단서가 묻어 있을지도 몰라."

애니가 말했다.

"송곳니에겐 아무것도 묻어 있지 않아."

난 위대한 탐정 네이트,

송곳니한테 가까이 다가갔다.

그러고 싶지는 않았지만, 꼬리를 살펴봐야 했다.

나는 몸을 숙였다.

예상했던 그대로였다.

송곳니의 꼬리에 금색 페인트가 묻어 있었다.

그것도 오른쪽이었다.

나는 송곳니에게 말했다.

"목욕 잘해라, 송곳니."

질퍽이와 난

로자몬드네 집으로 달려갔다.

"난 위대한 탐정 네이트,
추측하건대, 참치 깡통은 바깥쪽으로 떨어진 거야."
로자몬드가 물었다.
"그걸 어떻게 알았니?"
내가 설명을 했다.
"왜냐하면 송곳니가 오른쪽을
창 쪽으로 대고 서 있었고,
꼬리를 이리저리 휘둘렀는데
꼬리의 오른쪽에 금색 페인트가 묻어 있었단 말이야.
그건 꼬리로 깡통을 바깥쪽으로
쳐서 넘어뜨렸다는 얘기가 되지.
창 밖으로 말이야.
질퍽이와 난 집 주위를
다시 한 번 열심히 살펴볼 거야."
로자몬드가 말했다.
"앞으로 15분 후엔 대회가 열려야 하는데."

내가 대답했다.

"그렇다면 정말 정신 똑바로 차리고

재빨리 찾아봐야겠구나."

질퍽이와 난 밖으로 달려나갔다.

우리는 다시 한 번 주변을 살폈다.

우리는 보도 위를 꼼꼼히 살펴보았다.

정말 지루하기 짝이 없는 길이었다.

보이는 것은 여기저기 벌어진 틈새뿐,

실마리는 전혀 찾을 수 없었다.

난 위대한 탐정 네이트, 곤경에 빠졌다.

정말 심상치 않은 사건이었다.

주어진 시간 내에 해결할 수 없을 것 같았다.

어쩌면 절대로 해결할 수 없을지도 모를 일이었다.

질퍽이와 난 일단 집으로 돌아왔다.

우린 부엌으로 갔다.

질퍽이가 장바구니에 코를 대고 킁킁댔다.

왜 장바구니에 코를 대고 킁킁대는 걸까?

강아지용 샴푸와 팬케이크 재료밖에는 없는데.

질퍽이는 샴푸에도, 팬케이크 재료에도

흥미가 있을 리 없었다.

어쨌든 난 장바구니에 신경 쓸 여유가 없었다.

오로지 사건에만 전념해야 했다.

밖으로 떨어진 깡통에 온 정신을 집중해야 했다.

난장판이 벌어지고 있을 때

무슨 일이 있었던 건지 생각해야 했다.

생선 냄새와

아나스타샤의 뱃속으로 사라져 버린 것들,

금색 페인트,

그리고 송곳니의 꼬리에 대해 생각했다.

송곳니는 꼬리에

금색 페인트를 묻힌 채 집으로 돌아갔다.

하지만 페인트를 묻히고 간 것도 몰랐다.

41

애니도 송곳니가 페인트를 묻히고 온 것을 몰랐다.

어쩌면 누군가 자신도 모르는 채

참치 깡통을 집으로 가지고 간 것은 아닐까?

하지만 어떻게 그런 일이?

참치 깡통이 꼬리에 그냥 달라붙을 리도 없고.

또 참치 깡통은 눈에 훤히 보이는데.

하지만…… 어쩌다 미처 보지 못했다면!

만약 눈에 띄지 않았다면!

만약 아나스타샤의 배처럼

큼지막하고 불룩한 것에

감춰져 있었다면!

난 위대한 탐정 네이트,

마침내 사건이 해결됐음을 깨달았다.

하지만 질퍽이 녀석이 이미 사건을 해결한 후였다.

질퍽이는 장바구니에 코를 대고

여전히 킁킁대고 있었다.

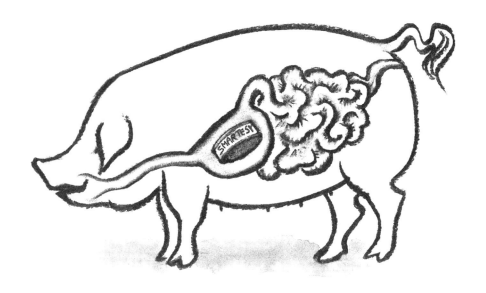

장바구니 속을 들여다보았다.

나는 손을 집어넣어

금색 페인트로

가장 영리한 친구라고

쓴 글자가

얼룩덜룩 번져 있는 빈 참치 깡통을 꺼냈다.

난 위대한 탐정 네이트,

깡통을 찾아냈다!

사건의 자초지종을 짐작할 수 있었다.

송곳니가 꼬리를 휘둘러 깡통을
유리창 밖으로 날려보냈는데,
마침 그 때 난 자전거를 타고
로자몬드네 집 앞을 지나가고 있었고,
깡통은 자전거 뒷자리에 있던 장바구니 안으로
떨어진 것이었다.
그리고 난 아무것도 모르고
깡통을 집으로 가져왔던 것이다.

이제 깡통을 대회가 열리는 곳으로 가져가야만 했다.
질퍽이와 난 모두들 모여 대회가 시작되기를
기다리고 있는 공원으로 달려갔다.
로자몬드는 네 마리의 고양이와 함께 와 있었다.
애니는 송곳니를 데리고 와 있었다.
핍은 앵무새와 같이 서 있었다.
핀리는 쥐를 데리고 왔다.
올리버는 가장 아끼는 뱀장어와 함께였다.

에스메랄다는 혼자였다.

클로드와 아나스타샤는 보이지 않았다.

놀랄 일도 아니었다.

클로드가 아나스타샤를 잃어버렸던가

아니면 아나스타샤가 주인을 잃어버렸던가

둘 중의 하나일 테니까.

나는 상을 높이 치켜들며 말했다.

"이것이 내 장바구니 안에 들어 있었어.

얘기하자면 긴데, 지금은 시간이 없구나."

난 상을 심사위원인 에스메랄다에게 건네 주었다.

로자몬드는 박수를 쳤다.

"잘했다, 잘했어. 정말 잘했어!

자, 이제 대회를 열 수 있겠다."

"그래, 난 위대한 탐정 네이트,

사건을 해결하긴 했지만,

사실 질퍽이가 먼저 해냈다고 할 수 있지."

46

에스메랄다가 말했다.

"이제 보니 질퍽이는 정말 영리하구나.

하지만 다른 동물들한테도

영리함을 보여 줄 기회는 주어야지. 자, 시작하자."

난 가만히 앉아서

올리버의 뱀장어가 뒤로 헤엄치는 묘기와,

송곳니가 송곳니로 부리는 우스꽝스러운 재주,

로자몬드의 고양이들이 명령에 따라 털을 날리는 것,

핀리의 쥐가 숨겨져 있던 치즈를 찾아내는 재주를

봐야 했다.

하지만 핍의 앵무새는 할 말을 완전히 잊어버리고
말았다.

다 끝나자 에스메랄다가 말했다.

"자, 오늘의 우승자는…… 질퍽이!!!
사건을 해결한 영리한 친구야!"

질퍽이는 뿌듯해 하는 것 같았다.

난 위대한 탐정 네이트, 나 역시 자랑스러웠다.

모두들 질퍽이를 축하해 주었다.

에스메랄다는 질퍽이에게 상을 수여했다.

질퍽이는 깡통으로 무엇을 해야 할지 난감해 했다.

질퍽이는 금색 페인트로 쓴 글자가 얼룩덜룩해진

요상한 참치 깡통의 주인이 되어 있었다.

질퍽이와 난 상을 가지고 집으로 돌아왔다.

나는 질퍽이에게 커다란 뼈다귀를 주었다.

질퍽이는 그 상을 더 좋아하는 것 같았다.

사건은 완전히 해결되었다.

하지만 나에겐 할 일이 남아 있었다.

난 장바구니를 풀어,

강아지용 샴푸를 한쪽으로 제쳐두고는

팬케이크를 만들었다.

난 위대한 탐정 네이트,

나 또한 상을 받을 자격이 충분했기 때문이다.

옮긴이의 말

위대한 탐정 네이트가 또 한 번 날카로운 탐정 능력을 발휘할 기회가 생겼습니다. 암호 같은 메모를 풀어 잃어버린 열쇠를 찾았던 네이트가 이번에는 참치 깡통을 찾아 나섭니다.

네이트가 살고 있는 동네에서 가장 영리한 애완 동물을 뽑는 대회가 열릴 예정이었습니다. 그런데 대회를 몇 시간 앞두고 상으로 수여할 참치 깡통이 감쪽같이 사라진 사건이 일어났습니다.

흔적도 없이 사라진 깡통을 네이트는 어떻게 찾을까요? 현장 검증도 하고, 일일이 탐문 수사도 하고, 그리고 또한 그것을 토대로 갖가지 추리를 해내는 위대한 탐정 네이트의 능력이 그 어떤 사립 탐정 못지 않습니다.

아마 여러분들도 조금만 주의를 기울이고 조금만 깊이 추리해 보면 훌륭한 탐정이 될 수 있을 거예요.

네이트와 그의 애완 강아지 '질퍽이'와 함께 증발해 버린 참치 깡통을 찾아볼까요?

지혜연

51